Matière
et matériaux

Peter Mellett

97-B, montée des Bouleaux, Saint-Constant, Qc, Canada, J5A 1A9
Tél. : 450 638-3338 / Téléc. : 450 638-4338
www.broquet.qc.ca / info@broquet.qc.ca

Catalogage avant publication de Bibliothèque et Archives nationales du Québec et Bibliothèque et Archives Canada

Mellett, Peter, 1946-

Matière et matériaux

(Science pratique)

Traduction de : Matter and materials.

Comprend un index.

Pour enfants de 7 ans et plus.

ISBN 978-2-89654-361-8

1. Matière - Propriétés - Expériences - Ouvrages pour la jeunesse.
2. Matière - Expériences - Ouvrages pour la jeunesse. I. Titre.

QC173.36M4414 2013 j530.4078 C2012-942114-6

Nous reconnaissons l'aide financière du gouvernement du Canada par l'entremise du Fonds du livre du Canada pour nos activités d'édition. Nous remercions également l'Association pour l'exportation du livre canadien (AELC), ainsi que le gouvernement du Québec : Programme de crédit d'impôt pour l'édition de livres – la Société de développement des entreprises culturelles (SODEC).

Titre original : Matter and materials
Cette édition a été publiée en 2012 par Kingfisher, une publication de Macmillan Children's Books, une division de Macmillan Publishers Limited
20 New Wharf Road, London N1 9RR
Basingstoke and Oxford
Entreprises associées dans le monde entier
www.panmacmillan.com

Créé pour Kingfisher par The Book Makers Ltd
Illustrations : Peter Bull Art Studio

Traduction : Patricia Ross
Correction d'épreuves : Lise Roy

Dépôt légal – Bibliothèque et Archives nationales du Québec
1er trimestre 2013

ISBN : 978-2-89654-361-8

Imprimé en Chine

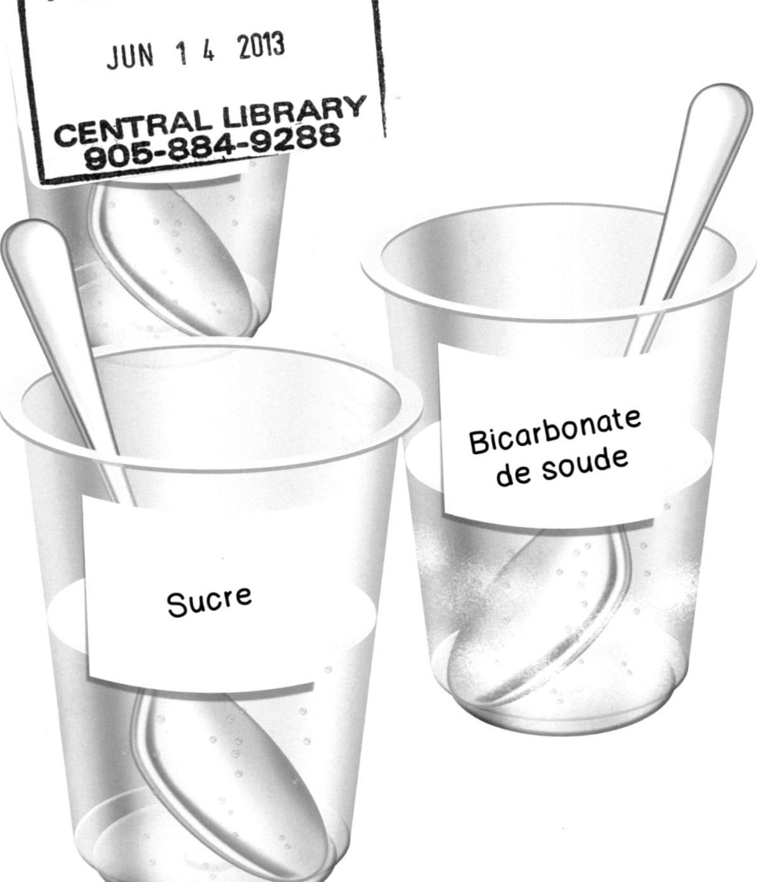

Note aux lecteurs : Les adresses de sites Web répertoriées dans ce livre étaient exactes au moment de l'impression. Cependant, en raison de la nature sans cesse changeante de l'Internet, les adresses de sites Web peuvent changer. Les sites Web peuvent contenir des liens qui ne conviennent pas à des enfants. L'éditeur ne peut être tenu responsable des modifications dans les adresses ou les contenus de sites Web, ou pour des renseignements obtenus par l'intermédiaire de tiers. Nous conseillons vivement que les recherches sur Internet soient supervisées par un adulte.

Crédits page couverture : Fond © Dreamstime/Solarseven ; hg Alamy/Janine Weidel ; hc Shutterstock/BestPhotoByMonikaGniot ; hd Shutterstock/matka_Waratka ; bg Shutterstock/Tatiana Gladskikh ; bd Shutterstock/ Dmitriy Shironosov

Table des matières

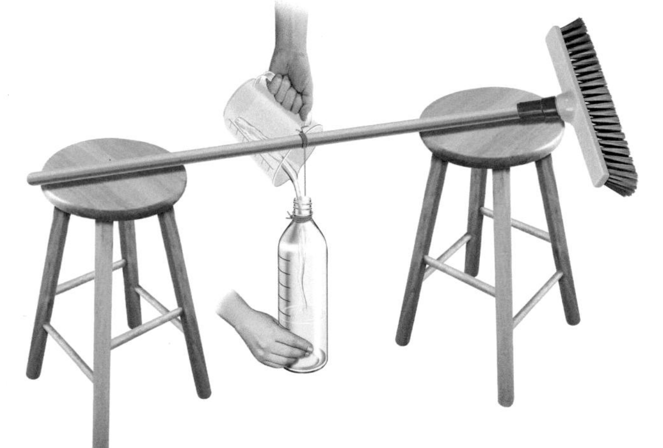

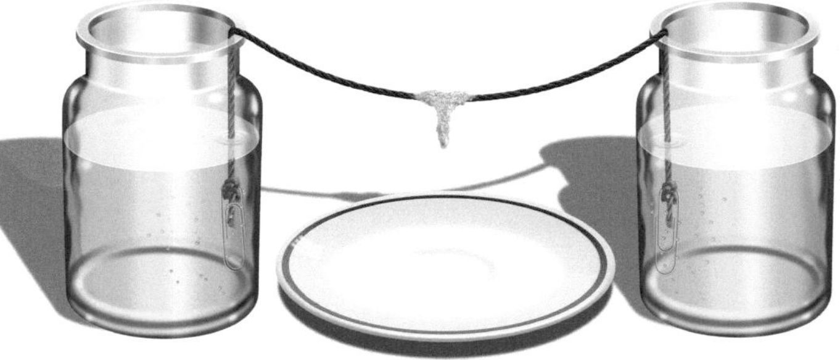

Pour commencer

Le monde dans lequel nous vivons est fait de matière, mais qu'est-ce que la matière exactement ? La matière comprend tout ce qui a une masse et occupe de l'espace. Nos corps, l'air que nous respirons et l'eau que nous buvons sont tous composés de matière. Les différents types de matières que nous utilisons pour fabriquer des objets sont appelés des matériaux.

Tu butes sur des mots ?

Si tu tombes sur un mot que tu ne comprends pas, ou si tu veux en savoir davantage, jette un coup d'œil au glossaire, pages 30 et 31.

Symbole de l'horloge

Le symbole de l'horloge affiché dans chaque expérience t'indique la durée approximative de l'activité en minutes. Toutes les activités durent entre 5 et 30 minutes. Si tu utilises de la colle, prévois du temps supplémentaire pour le séchage.

Certains matériaux, comme les roches, la terre, l'eau et le bois, sont naturels. D'autres matériaux, comme les métaux, le verre et le papier, sont fabriqués par des personnes. Toutes les matières et tous les matériaux se comportent de manière différente. Ce livre te montrera comment les matériaux sont testés et choisis avant d'être utilisés pour la fabrication d'objets et la construction d'immeubles.

Les bons outils

Tu auras besoin de quelques objets de tous les jours, comme de la ficelle, des bandes élastiques, des bouteilles en plastique et quelques autres articles que tu peux trouver dans la cuisine.

filtre à café

bouteilles et gobelets en plastique transparent

pilon à pommes de terre

ficelle

bandes élastiques

Mise en garde

Certaines activités comportent de la chaleur ou des flammes, ou l'utilisation d'un marteau. Demande de l'aide à un adulte pour ces activités, et pour toute autre activité où tu vois ce symbole, ou si tu penses qu'une activité peut être difficile à faire seul.

Ne touche pas à ton visage et ne te frotte pas les yeux, surtout si tu utilises des matériaux tels que du sel, du carbonate de sodium ou de la terre. Essaie de ne pas mettre de colle sur tes doigts.

Lave-toi toujours soigneusement les mains et cure-toi les ongles après avoir fini de travailler. Il est important que certaines substances soient enlevées immédiatement.

S'organiser

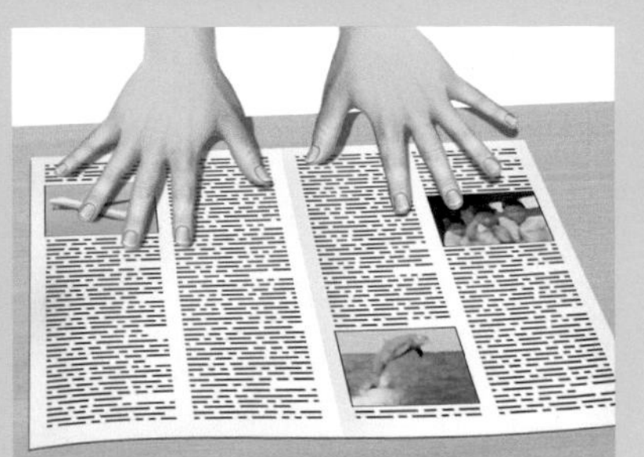

Effectue tes expériences sur une table solide. N'oublie pas de commencer par la recouvrir de vieux journaux afin de protéger sa surface contre les déversements, la saleté et les gâchis.

Quand tu dois verser de l'eau, mets-toi au-dessus d'un plateau peu profond qui recueillera tout déversement ou débordement.

Quand tu utilises un marteau, place d'abord une vieille planche à découper, ou un autre morceau de bois, sur une surface solide comme une table, ou directement sur le sol.

Tu as de la difficulté ?

☹ Ne te décourage pas si, au début, tu as des problèmes avec certaines activités. Même Einstein a eu ses mauvais jours !

☺ Si les choses ne semblent pas fonctionner, relis attentivement chaque étape de l'activité, puis essaie de nouveau.

Si tu es coincé, demande à un adulte à la maison, ou à un enseignant à l'école, de t'expliquer les choses.

La terre

La terre est l'un des matériaux les plus importants dans le monde. Presque toutes les plantes ont besoin de terre pour croître et la plupart des animaux ont besoin de plantes pour se nourrir. S'il n'y avait pas de terre, il n'y aurait presque pas de vie sur notre planète. Il existe beaucoup de différents types de terre, mais tous sont un mélange de sable, d'argile et d'humus (les restes pourris des plantes mortes).

Que se passe-t-il?

L'eau s'écoule goutte à goutte à travers la terre dans les espaces entre les particules. L'eau ajoutée ne s'écoule pas toute parce qu'une partie de l'eau est absorbée par l'argile et l'humus dans la terre. Plus la terre contient de sable, plus l'eau s'écoule facilement, parce que le sable n'absorbe pas l'eau. Les particules d'argile sont des centaines de fois plus petites qu'un grain de sable. Elles bloquent les espaces entre le sable et l'humus et ralentissent le mouvement de descente de l'eau. Dans certains sols argileux, l'eau ne passe pas du tout.

Tester la terre

Découvre comment se comporte la terre près de chez toi. Quelle quantité d'eau absorbe-t-elle et comment l'eau s'écoule-t-elle à travers elle ?

Matériel :

- De la terre sèche
- Une bouteille en plastique de 500 ml
- Une cuillère
- Des ciseaux
- De la ouate
- Une cuillère à soupe
- Une tasse à mesurer remplie d'eau

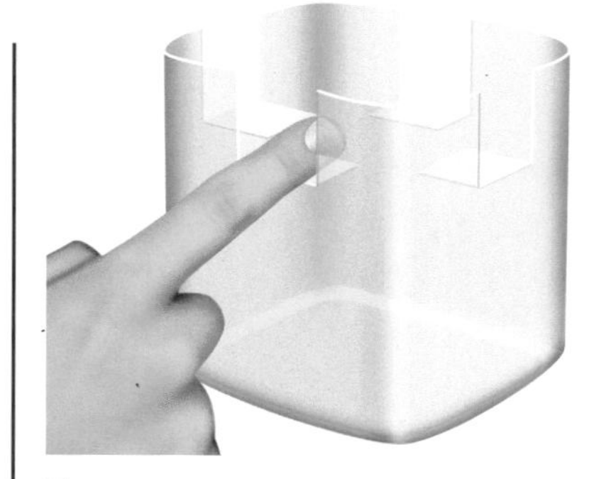

1 Coupe la bouteille en deux. Fais deux entailles de chaque côté de la partie du fond. Plie les pièces coupées vers l'intérieur pour faire quatre languettes.

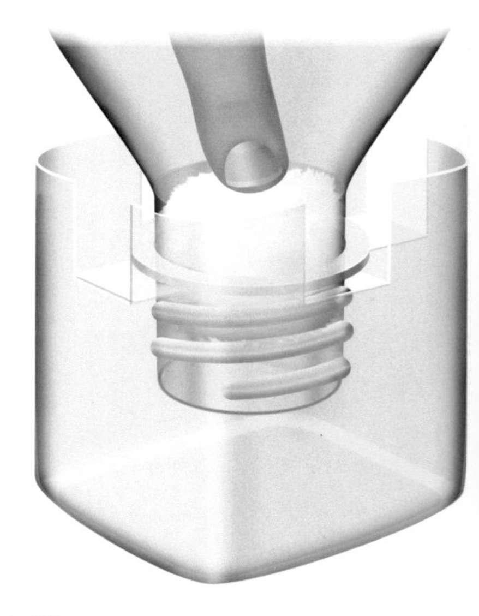

2 Retourne la moitié du goulot de la bouteille la tête en bas pour en faire un entonnoir. Place l'entonnoir dans l'autre partie de la bouteille de manière à ce que les languettes repliées retiennent le goulot. Enfonce une boule de ouate dans le goulot de la bouteille.

Que contient la terre?

Remplis la bouteille au quart de terre, puis remplis-la aux deux tiers d'eau. Revisse le bouchon et secoue la bouteille vigoureusement. Laisse la bouteille reposer debout et regarde les différentes couches se former.

Matériel:

- Une bouteille en plastique avec bouchon
- De la terre sèche
- De l'eau

Que se passe-t-il?

Les gros grains de sable et de gravier sont les premiers à se déposer au fond. La couche suivante est constituée de sable fin et limoneux, suivie par une couche de particules d'argile. Flottant au-dessus de la couche d'argile, de fines particules d'argile sont trop petites pour se déposer au fond. Tu peux également voir de l'humus flotter à la surface. En testant différents échantillons de terre, tu peux voir comment la terre varie d'un endroit à un autre.

3 Ajoute six cuillerées à soupe de terre dans l'entonnoir, puis verse doucement 200 ml d'eau. Combien de temps faut-il à l'eau pour traverser la terre? Enfin, mesure la quantité d'eau qui s'écoule de la terre.

Étirement et rupture

La résistance à la traction est le nom donné à la limite d'étirement d'un matériau. Les ingénieurs choisissent des matériaux ayant une grande résistance à la traction pour certaines tâches. Le câble en acier à haute résistance d'une grue est capable de supporter une charge très lourde.

Matériel :

- Une bouteille en plastique de 2 litres
- Un manche à balai
- Deux tabourets ou deux chaises
- Une tasse de mesure contenant un litre d'eau
- Un marqueur
- Trois fils de la même épaisseur, par exemple un fil de laine, un fil de soie dentaire (nylon), un fil fusible (cuivre)

Fils et câbles

Compare la résistance à la traction de trois matériaux différents. N'oublie pas de répéter l'activité en utilisant un fil différent chaque fois !

1 Couche le manche à balai au-dessus des deux tabourets, comme le montre la photo ci-dessus.

2 Verse lentement un litre d'eau dans la bouteille. Marque le niveau d'eau sur la bouteille pour chaque quantité de 100 ml versée. Un volume de 100 ml d'eau a une masse de 100 g. Alors, écris les marques 100 g, 200 g, 300 g et ainsi de suite.

3 Vide la bouteille. Attache l'extrémité d'un fil autour du goulot de la bouteille et l'autre extrémité autour du manche à balai. La bouteille doit pendre un peu au-dessus du sol.

Test des feuilles minces

Découpe des bandes de 1 cm sur 15 cm dans chaque matériau. Enroule une bande bien serrée autour d'une pince à linge et tiens la pince fermement. Presse la pince avec de plus en plus de force jusqu'à la rupture du matériau. Refais le test avec chaque bande.

Matériel :

- Des matériaux minces comme de la pellicule plastique, un sac de croustilles, une serviette en papier et du papier journal
- Une pince à linge
- Des ciseaux

Que se passe-t-il?

Certains matériaux sont plus élastiques que d'autres. Ainsi, ils peuvent s'étirer beaucoup plus avant de se briser. Les matériaux en papier sont fabriqués à partir de particules appelées fibres, lesquelles se brisent facilement. Les matériaux en plastique, comme les pellicules d'emballage alimentaire, sont fabriqués à partir de particules appelées molécules. Celles-ci tiennent fermement ensemble et s'étirent avant de se séparer.

4 Tiens la bouteille d'une main et verses-y de l'eau lentement. Tous les 100 ml, replace le bouchon, puis laisse pendre la bouteille. Au moment où le fil se casse, note le niveau d'eau dans la bouteille. Répète les étapes 3 et 4 avec les autres fils. Lequel résiste le plus longtemps sans se casser ?

Que se passe-t-il?

La gravité attire vers le bas l'eau contenue dans la bouteille. Cela crée une force de traction, appelée tension dans le fil, qui amène le fil à s'étirer et à se rompre. Le temps que le fil met à se rompre dépend de l'épaisseur du fil et de la matière qui le compose. La laine, une fibre naturelle, n'est pas très résistante. La soie dentaire, fabriquée à partir d'un plastique appelé nylon, et le fil de cuivre ont tous les deux une résistance à la traction plus grande que celle de la laine.

La chaleur voyage

La chaleur se déplace à travers les solides par un procédé appelé conduction. Certains matériaux, comme les métaux, laissent passer la chaleur facilement. Ils sont de bons conducteurs de chaleur. D'autres matériaux, comme le papier et le plastique, ne laissent pas passer la chaleur facilement. Ils sont appelés isolants et sont de mauvais conducteurs de chaleur. Nous utilisons des matériaux isolants pour conserver la chaleur.

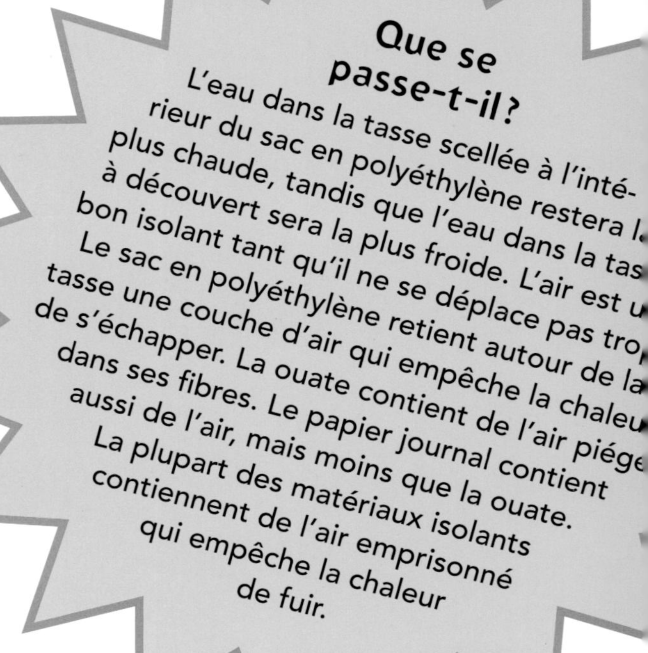

Que se passe-t-il?
L'eau dans la tasse scellée à l'intérieur du sac en polyéthylène restera l
plus chaude, tandis que l'eau dans la tas
à découvert sera la plus froide. L'air est u
bon isolant tant qu'il ne se déplace pas tro
Le sac en polyéthylène retient autour de la
tasse une couche d'air qui empêche la chaleu
de s'échapper. La ouate contient de l'air piége
dans ses fibres. Le papier journal contient
aussi de l'air, mais moins que la ouate.
La plupart des matériaux isolants
contiennent de l'air emprisonné
qui empêche la chaleur
de fuir.

Garder la chaleur

Découvre quels matériaux isolants conservent la chaleur d'une boisson le plus longtemps.

Matériel :

- Quatre tasses de porcelaine
- Un sac en polyéthylène avec attache
- Quatre bandes élastiques minces
- Du papier journal
- De la ouate
- De l'eau tiède
- Une horloge

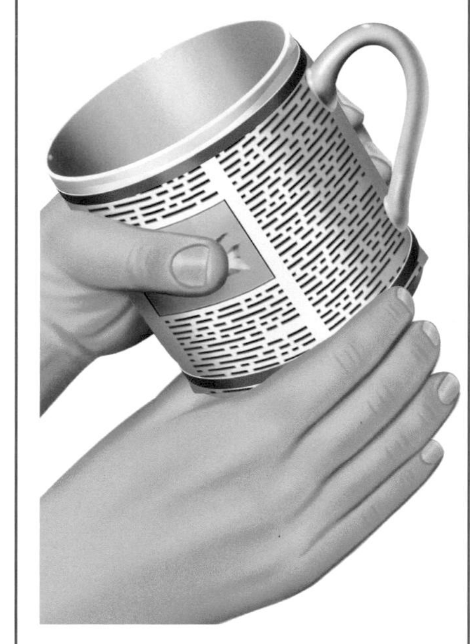

1 Enroule du papier journal autour d'une tasse et fixe-le à l'aide d'une bande élastique. Enroule de la ouate autour de la deuxième tasse. Place la troisième tasse dans un sac en polyéthylène ouvert et laisse la quatrième tasse découverte.

2 Demande à un adulte de faire chauffer l'eau jusqu'à ce qu'elle soit tiède (45 °C). Remplis chaque tasse au même niveau, à 2 cm du bord. Scelle le sac en polyéthylène avec une bande élastique et déploie le sac pour qu'il soit lâche autour de la tasse.

Conduction de la chaleur

Colle une perle au bout du manche de chaque cuillère avec un morceau de beurre. Place le bol sur du papier journal et dispose les cuillères dans le bol, manches orientés vers le haut. Demande à un adulte de verser de l'eau bouillante dans le bol. Chronomètre le temps que mettra chaque perle à tomber.

Matériel :

- Du beurre
- Du papier journal
- Un bol résistant à la chaleur
- Trois petites perles en plastique
- De l'eau bouillante (demande à un adulte)
- Une cuillère en métal, une en plastique et une en bois

Que se passe-t-il?

La conduction transmet la chaleur dans le manche de chaque cuillère, jusqu'à ce que le beurre fonde et que la perle tombe. Des trois matériaux, le métal est le meilleur conducteur. La cuillère en métal est la plus rapide à devenir chaude, de sorte que la perle de cette cuillère est la première à tomber. La perle de la cuillère en bois est la dernière à tomber, car le bois contient de l'air et est un mauvais conducteur de chaleur.

3 Après 15 minutes, sers-toi de ton doigt pour évaluer la température de l'eau dans chaque tasse. Dispose les quatre tasses dans l'ordre, de la plus chaude à la plus froide.

Les solides, les liquides et les gaz

Notre monde est fait de millions de matériaux différents, mais toute cette matière n'existe que sous trois principales formes : solide, liquide et gazeuse. La matière solide, comme la glace, est dure et a une forme fixe. La matière liquide, comme l'eau, coule, n'a pas de forme fixe, a une surface plane et se retrouve au fond d'un récipient. La matière gazeuse se répand dans toutes les directions, c'est pourquoi on conserve souvent les gaz dans des récipients fermés.

Que se passe-t-il?

L'air est un gaz et est compressible : il peut être entassé dans un espace restreint. L'eau est un liquide n'est pas compressible. Tu ne peux pa compresser la bouteille remplie d'eau. L liquides et les gaz sont dits fluides parce qu'ils peuvent circuler d'un endroit à un autre. Quand la température descend en dessous de 0 °C, l'eau gèle et se transforme en glace solide. Les solides ne peuvent pas s'écouler et ne sont pas compressibles.

Sens la différence

Regarde ce qui se passe quand tu essaies de compresser un gaz (de l'air), un liquide (de l'eau) et un solide (de la glace). Prévois du temps pour faire de la glace à l'étape 3 !

Matériel :

- Une bouteille vide de 500 ml avec bouchon vissé
- De l'eau
- Un ballon long
- Un congélateur

1 Prends la bouteille vide, visse hermétiquement son bouchon et serre-la avec les doigts. Qu'advient-il de la bouteille ?

2 Maintenant, dévisse le bouchon et remplis la bouteille d'eau jusqu'à ce qu'elle déborde. Revisse fermement le bouchon et serre la bouteille de nouveau. Est-elle encore molle ?

3 Remplis un ballon d'eau (au-dessus d'un évier !) et noue-le fermement. Presse le ballon et palpe l'eau qui se déplace à l'intérieur. Laisse le ballon dans le congélateur pendant une heure. Maintenant, regarde si tu peux encore déplacer l'eau à l'intérieur du ballon.

Les gaz ont une masse

Noue une ficelle à chaque extrémité d'une tige en bois. Noue l'autre bout de chaque ficelle à la languette d'une canette. Accroche la tige par son centre sous le tabouret de manière à ce que les canettes pendent en équilibre. Demande à un adulte d'ouvrir un peu une canette, puis laisse les canettes pendre en équilibre.

Que se passe-t-il?

L'équilibre des canettes est perturbé et la canette ouverte remonte légèrement. C'est parce que les boissons gazeuses contiennent un gaz appelé dioxyde de carbone dissous dans de l'eau aromatisée. Quand la canette est ouverte, le dioxyde de carbone s'échappe lentement du liquide, ce qui diminue la masse du liquide. Cela signifie que le contenu de la canette ouverte pèse moins qu'il pesait quand la canette était fermée.

Matériel:

- Deux canettes de boisson gazeuse avec languettes
- Une tige de bois mince de 30 cm de longueur
- Un tabouret ou une chaise
- De la ficelle

Mélanger des matières

La plupart des matières ne sont pas une substance unique pure. Elles sont généralement constituées de différentes substances mélangées de diverses manières. Par exemple, la pâte à gâteau est un mélange de farine, de gras et d'eau, tandis que les boissons gazeuses sont un mélange d'eau, de sucre, d'arômes et de dioxyde de carbone. Pour constituer chaque différent mélange, on doit choisir les bons ingrédients.

Que se passe-t-il?

Les cristaux de sucre et de sel se dissolvent (se décomposent) quand ils sont mélangés à de l'eau. On appell le résultat une solution sucrée (ou saline). Quand les cristaux se dissolvent, ils se défo en particules trop petites pour être visibles. Ces particules se propagent dans l'eau. Les solutions gèlent à une température plus basse que les liquides purs, c'est pourquoi les solutions de sucre et de sel mettent plus de temps à geler que l'eau pure. Contrairement au sucre et au sel, le sable est « insoluble » – il ne se dissout pas.

Les solutions

On peut mélanger de l'eau avec du sucre ou du sel pour fabriquer ce qu'on appelle une solution. Une solution se comporte différemment de l'eau ordinaire.

Matériel:

- De l'eau tiède
- Des matières solides comme du sucre, du sel et du sable
- Quatre gobelets en plastique transparent
- Une cuillère à thé
- Une loupe
- Un congélateur

1 Place quelques grains de chaque matière solide sur la table. Examine-les à travers la loupe. Vois-tu une différence dans leur forme et leur taille? Les grains de sel et de sucre ont des parois droites – on les appelle des cristaux.

2 Remplis un gobelet à moitié d'eau tiède. Ajoute une pincée de sucre et regarde ce qu'il advient de chaque grain. Ensuite, ajoute une grosse cuillerée de sucre et remue le mélange. Remarque comment les grains se dissolvent et disparaissent complètement.

3 Remplis un autre gobelet à moitié d'eau. Place ce verre, et le gobelet d'eau sucrée, au congélateur pendant deux ou trois heures. Jette un coup d'œil toutes les 15 minutes pour voir ce qui se passe. Ensuite, répète les étapes 2 et 3 avec du sel, puis avec du sable.

Étude d'un mélange à gâteau

Demande à un adulte de t'aider à rassembler tous les ingrédients et le matériel nécessaires pour préparer quelques petits gâteaux. Regarde comment les ingrédients se transforment quand tu les mélanges. Regarde comment le mélange s'est encore transformé une fois cuit.

Matériel:

- Des ingrédients et des ustensiles pour préparer un gâteau
- Un four

Que se passe-t-il?

Il est étonnant de voir à quel point le goût et l'apparence d'un gâteau se transforment par rapport aux ingrédients crus d'origine. La pâte à gâteau contient habituellement de la farine, des œufs, du sucre et du gras. Pendant la cuisson au four, la chaleur fait gonfler le mélange et en change la couleur, la texture et le goût.

L'expansion et la contraction

Quand des solides, des liquides et des gaz sont chauffés, ils absorbent de l'énergie et leur température augmente. Quand cela se produit, chaque substance se dilate : son volume augmente et occupe plus de place. Quand la substance se refroidit, elle perd de l'énergie. Sa température et son volume diminuent et la substance se contracte, ou se rétrécit.

Que se passe-t-il?

Quand tu chauffes la bouteille avec le linge chaud, tu chauffes l'air à l'intérieur. L'énergie thermique fait bouger plus rapidement les minuscules particules d'air et les fait prendre plus d'espace. Il s'ensuit que l'air se dilate et s'échappe de la paille. Refroidir la bouteille produit l'effet inverse. Les particules bougent plus lentement et prennent moins d'espace. L'air se contracte et l'eau pénètre dans la bouteille.

L'air chaud et l'air froid

Cette activité te permet de voir comment l'air – un gaz invisible – se dilate et se contracte quand il est chauffé et refroidi. Demande à un adulte de t'aider avec la bouteille et l'eau chaude.

Matériel :

- Une bouteille en verre vide
- Une paille
- De la pâte à modeler
- Un linge à vaisselle
- De l'eau chaude (demande à un adulte)
- Un linge humide froid
- Un bol d'eau

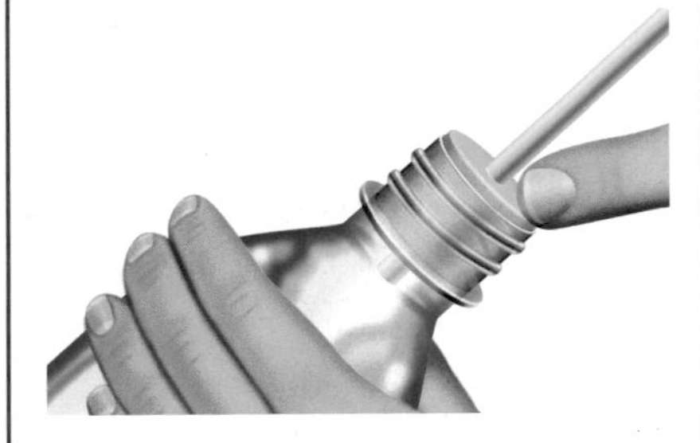

1 Entoure délicatement une boule de pâte à modeler autour de la paille, près d'une extrémité. Pousse fermement la boule de pâte dans le goulot de la bouteille pour faire un bouchon étanche.

2 Demande à un adulte de faire tremper le linge à vaisselle dans de l'eau chaude et de l'enrouler autour de la bouteille.

3 Tourne la bouteille enveloppée à l'envers et trempe l'extrémité de la paille dans l'eau du bol. Que remarques-tu ?

Chauffage de l'eau

Utilise le même équipement, mais remplis la bouteille d'eau froide jusqu'au bord avant d'y ajuster la paille. Assure-toi que l'eau monte à mi-hauteur de la paille et marque sa position. Maintenant, place la bouteille dans un bol d'eau chaude et regarde le niveau d'eau dans la paille.

Matériel :

- Une bouteille, de la pâte à modeler et une paille, comme pour l'expérience précédente
- Un bol d'eau chaude (demande à un adulte)
- Un crayon

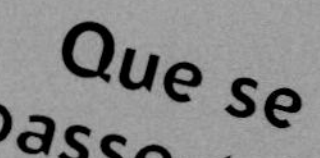

Que se passe-t-il ?

Les particules dans l'eau se déplacent plus lentement que les particules dans l'air. Les particules liquides sont plus rapprochées les unes des autres que les particules de gaz et doivent glisser les unes contre les autres en se déplaçant. Le chauffage de l'eau déplace les particules plus rapidement, ce qui dilate le liquide et le fait monter dans la paille. Mais l'effet n'est pas aussi spectaculaire que la dilatation des gaz.

4 Tout en gardant l'extrémité de la paille sous la surface de l'eau, retire le linge chaud, puis enroule le linge froid autour de la bouteille. Maintenant qu'advient-il de l'eau ?

Chauffer des substances

Quand tu chauffes une substance, sa température monte. Cette hausse modifie de nombreuses substances. Par exemple, l'eau bouillante fait des bulles et le pain chauffé devient grillé. Quand le chauffage arrête, la température baisse. L'eau arrête de bouillir – le changement n'est que temporaire. Le pain grillé refroidi ne redevient pas du pain blanc – la chaleur a provoqué un changement permanent.

Matériel :

- Une noix de beurre
- Un morceau de chocolat
- Un morceau de cire de bougie
- Du sucre
- Du papier d'aluminium
- Des ciseaux
- Une lampe réglable
- Une paille

Chauffer un peu

Certaines substances sont modifiées quand la température n'augmente que légèrement. Quand tu fais cette activité, ne touche pas à l'ampoule – elle deviendra chaude.

1 Découpe quatre carrés de 10 cm dans du papier d'aluminium. Replie les bords et rabats les coins pour faire quatre petits plateaux.

2 Mets une petite quantité de chaque substance dans les plateaux pour que chacun contienne quelque chose de différent.

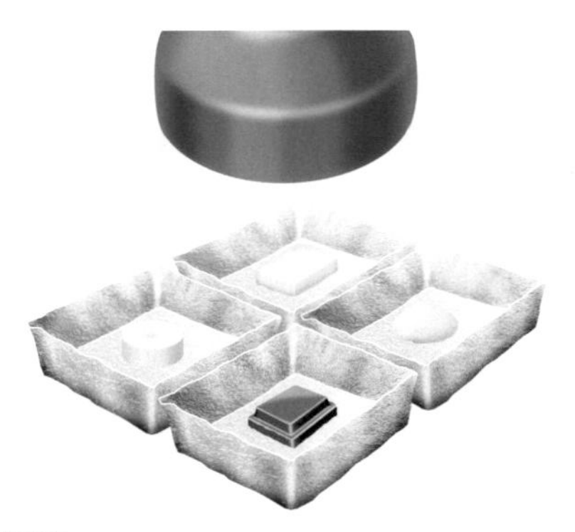

3 Demande à un adulte d'allumer la lampe et de la diriger vers le bas à environ 5 cm au-dessus des plateaux. Attends cinq minutes pour voir ce que la chaleur fait.

4 Éteins la lampe et éloigne-la. Maintenant, remue les substances avec la paille pour voir comment elles ont changé. Puis laisse-les refroidir.

Chauffage à haute température

Place du sucre dans une vieille cuillère. Demande à un adulte d'allumer le lampion et tiens la cuillère au-dessus un moment pour la réchauffer. Que vois-tu?

Matériel:

- Une vieille cuillère en métal
- Du sucre
- Des allumettes (demande à un adulte)
- Un lampion dans une soucoupe d'eau

Que se passe-t-il?

Le sucre est constitué de carbone, d'hydrogène et d'oxygène. Chauffé à environ 500 °C, il se décompose en carbone noir et en vapeur. C'est ce que tu peux voir apparaître sur la cuillère. Il s'agit d'une modification permanente.

Que se passe-t-il?

La lampe élève la température à environ 75 °C et réchauffe lentement les quatre substances. Rappelle-toi que l'eau bout quand on la chauffe à 100 °C. Le beurre, le chocolat et la cire de bougie se liquéfient quand ils sont chauffés lentement, car ils fondent. Quand ils se refroidissent, ils redeviennent solides. Ainsi, la fusion est une modification temporaire. Le sucre n'est pas modifié par la chaleur d'une lampe électrique.

Chauffage à haute température

DEMANDE À UN ADULTE DE LE FAIRE POUR TOI.

Modifier l'état

La matière peut exister sous trois états – solide, liquide ou gazeux. Quand on chauffe une substance, elle change parfois d'état. La chaleur peut transformer un solide en liquide ou un liquide en gaz. Ces changements d'état sont temporaires parce que le refroidissement les inverse. Les gaz se condensent en liquides et les liquides gèlent et redeviennent solides.

Matériel :
- De la glace
- Du sel
- Une cuillère
- Un linge à vaisselle
- Un rouleau à pâtisserie
- Deux bandes élastiques
- Une grande tasse de couleur foncée

De gaz à liquide à solide

L'air est rempli de vapeur d'eau invisible. Tu peux utiliser un mélange réfrigérant pour piéger ce gaz et le transformer en glace, qui est visible.

1 Place dix cubes de glace le long d'un linge à vaisselle et enroule le linge en forme de saucisse. Ferme chaque bout à l'aide d'une bande élastique et place le rouleau sur une surface ferme. Casse la glace avec le rouleau à pâtisserie.

2 Remplis la tasse à moitié de glace concassée. Ajoute environ un quart de tasse de sel. Remue le mélange et laisse la tasse reposer pendant environ 20 minutes.

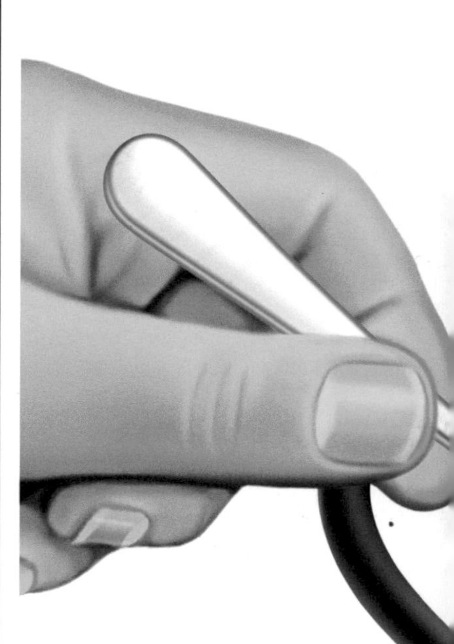

3 Tu verras qu'une substance solide blanche se forme autour de la tasse. Elle atteint le même niveau que la glace et le sel. Racle un peu de substance solide dans la cuillère et regarde-la fondre pour former un liquide.

Que se passe-t-il ?

La température de la glace descend encore plus bas quand on y ajoute du sel. Le mélange dans la tasse rend la paroi extérieure extrêmement froide. L'air est un gaz qui contient de la vapeur d'eau. Quand cette vapeur invisible touche l'extérieur de la tasse, elle se condense – ce qui signifie qu'elle se transforme en eau liquide. Elle gèle immédiatement pour former de la glace solide. Quand tu recueilles un peu de cette glace dans la cuillère, elle se réchauffe et fond pour devenir de l'eau liquide.

L'ébullition et l'évaporation

Mouille deux mouchoirs de coton et essore-les. Suspends un mouchoir dans un endroit chaud ou ensoleillé et l'autre dans un endroit frais. Vérifie toutes les cinq minutes pour voir jusqu'à quel point chaque mouchoir est sec.

Matériel :

- Deux mouchoirs en coton
- Un endroit chaud à l'extérieur
- Un endroit frais
- De l'eau

Que se passe-t-il ?

Le mouchoir humide dans un endroit chaud sèche plus vite que celui qui est dans un endroit frais. Mais pourquoi ? À mesure que l'eau absorbe la chaleur de l'air ambiant, elle se transforme en un gaz appelé vapeur d'eau. Il s'agit de l'évaporation. Plus la température est élevée, plus l'évaporation est rapide. Ainsi, le mouchoir dans un endroit chaud sèche plus vite que celui dans un endroit frais parce que l'eau qu'il contient s'évapore plus vite.

Filtrer des mélanges

L'eau boueuse est une suspension. Une suspension se compose de minuscules particules solides dispersées dans un liquide. Pour séparer les particules de la suspension, tu peux utiliser un filtre. Les filtres fonctionnent comme des passoires, mais ils ont des trous microscopiques appelés pores et sont souvent fabriqués à partir de papier pelucheux épais. La partie liquide de la suspension passe à travers les trous entre les fibres du papier, tandis que les particules solides sont retenues.

Matériel :

- Un entonnoir de filtre à café
- Un filtre à café en papier
- De l'eau
- De la farine ordinaire
- Trois gobelets en plastique transparent
- Une cuillère à thé

Filtrer de la farine

Un mélange de farine et d'eau donne une suspension trouble. Le filtre à café rend l'eau transparente à nouveau.

1 Mets la moitié d'une cuillerée à thé de farine dans un gobelet. Remplis le gobelet d'eau et remue le mélange pour obtenir une suspension de farine dans l'eau.

2 Place l'entonnoir sur un gobelet vide et place un filtre dans l'entonnoir. Verse deux tiers du mélange dans le filtre.

3 Quand le gobelet est rempli au tiers, place l'entonnoir et le filtre sur le dernier gobelet.

Que se passe-t-il?

Au début, le liquide s'écoule rapidement à travers le filtre. La plupart des particules solides sont retenues, mais certaines particules fines réussissent à passer. Ainsi, le liquide filtré dans le premier gobelet est légèrement trouble. Le liquide s'écoule ensuite plus lentement à mesure que les pores du filtre se bouchent. Ainsi, même les particules très fines ne peuvent pas passer. C'est pourquoi le liquide filtré dans le troisième verre est presque limpide.

Filtrer avec du sable

Coupe la bouteille en deux. Place la partie entonnoir dans le fond de la bouteille. Dans l'entonnoir, mets de la ouate, des cailloux, du gravier et du sable pour faire un filtre. Verse ensuite dans le filtre un mélange de terreau et d'eau. L'eau s'écoule-t-elle rapidement ? De quelle couleur sont les gouttes ?

Matériel :

- Une bouteille en plastique de 500 ml
- Du terreau
- Du sable, du gravier, des cailloux
- De la ouate
- Des ciseaux
- De l'eau

Que se passe-t-il?

Les cailloux, le gravier et le sable – et les fibres de la ouate – agissent comme un filtre. Ils empêchent les solides contenus dans l'eau de passer. Les matières retenues s'appellent le résidu. Le liquide qui traverse s'appelle le filtrat. L'eau du robinet provient souvent de rivières et de lacs. D'énormes filtres à sable clarifient et purifient l'eau. Des produits chimiques ajoutés tuent les germes.

4 Jette un coup d'œil à l'intérieur du papier filtre une fois que tout le liquide s'est écoulé. Maintenant, regarde la différence entre les liquides dans chaque gobelet.

Les solutions et les suspensions

Des substances comme le sel et le sucre se dissolvent dans l'eau – elles sont solubles. Mélangées à de l'eau, les substances solubles disparaissent en se dissolvant pour former une solution. Des substances comme la craie et le sable ne se dissolvent pas dans l'eau – elles sont insolubles. Mélangées à de l'eau, les particules d'une substance insoluble se dispersent pour former une suspension.

Que se passe-t-il?

Les granules de sucre et de café se dissolvent dans l'eau pour donne une solution. Toutes les solutions son transparentes et on peut voir à travers. Une solution de sucre est incolore et une solution de café est brune. Le sable et la farine ne se dissolvent pas. En les mélangeant à l'eau, tu crées une suspension. Les grains les plus gros se déposent rapidement au fond. Les suspensions ne sont pas transparentes et il est difficile de voir à travers.

Solution ou suspension?

Ajoute différents solides à l'eau et trouve lesquels se dissolvent pour former une solution et lesquels se dispersent pour former une suspension.

Matériel:

- Quatre bouteilles en plastique de 500 ml avec bouchons
- De l'eau
- Une cuillère à thé
- Un entonnoir en plastique
- Du sucre, du sable fin, des granules de café instantané, de la farine

1 Verse une cuillerée de sucre dans une bouteille en te servant de l'entonnoir en plastique. Ajoute le sucre lentement pour qu'il s'écoule sans bloquer l'entonnoir.

2 Répète l'étape 1, en plaçant chacun des autres solides dans sa propre bouteille. Remplis chaque bouteille à moitié d'eau et revisse le bouchon. Agite chaque bouteille dix fois.

3 Examine attentivement chaque bouteille pour voir si tu peux encore voir des particules solides. Découvre quels solides forment une solution et lesquels forment une suspension.

Étude du lait

Le lait est-il une solution ou une suspension ? Découvre-le en versant une ou deux gouttes de lait dans un verre d'eau. Examine de près le lait qui tombe dans l'eau.

Matériel :

- Un grand gobelet en plastique transparent rempli d'eau
- Du lait
- Une cuillère à thé

Que se passe-t-il ?

Tu ne peux pas voir clairement à travers le lait, même quand tu l'ajoutes à de l'eau. Le lait est constitué de gouttelettes de graisse en suspension dans l'eau. La graisse est insoluble dans l'eau et les gouttelettes sont trop petites pour se déposer. Les scientifiques appellent « émulsions » les mélanges semblables au lait. Ce nom est également donné à la peinture en émulsion, qui se compose de gouttelettes microscopiques d'huile de couleur en suspension dans l'eau.

L'évaporation de solutions

Tu peux préparer une solution en dissolvant dans l'eau une substance solide comme du sel. L'eau semble pure parce que le solide s'est décomposé en fines particules invisibles. Pour faire réapparaître le solide, tu peux laisser la solution s'évaporer, ou se transformer en gaz. À mesure que le liquide disparaît, le solide réapparaît.

Matériel :
- Du sel
- De l'eau tiède
- Une soucoupe
- Un gobelet en plastique transparent
- Une cuillère à thé

Évaporation d'une solution saline

Le sel solide semble disparaître quand il se dissout dans l'eau. Tu peux laisser l'eau s'évaporer pour faire revenir le sel solide.

1 Verse de l'eau chaude dans le gobelet pour le remplir au tiers. Ajoute une pleine cuillerée de sel et remue le mélange jusqu'à ce que tout le sel soit dissous.

2 Verse la solution saline dans la soucoupe pour former une nappe d'eau peu profonde, puis place la soucoupe près d'une fenêtre ensoleillée ou dans un autre endroit chaud et aéré.

3 Vérifie la soucoupe deux fois par jour au cours des deux ou trois prochains jours. Que remarques-tu dans la soucoupe à mesure que l'eau disparaît peu à peu ?

Une stalactite sur une ficelle

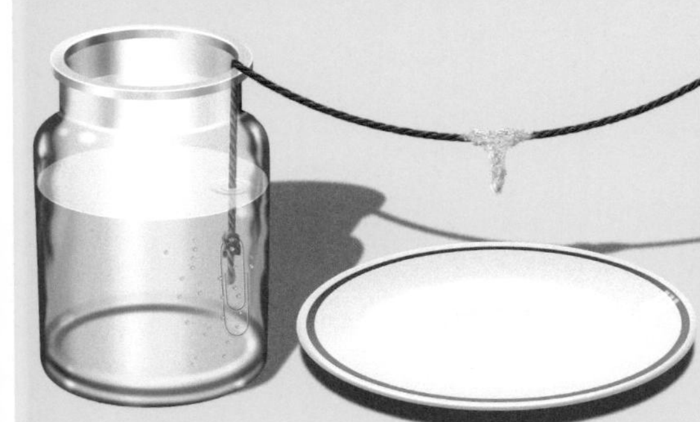

Que se passe-t-il?

La solution dans chaque pot est saturée – elle contient tout le sucre dissous qu'elle peut contenir. Le liquide pénètre le long de la laine et s'accumule au point le plus bas entre les bocaux. L'eau s'évapore à cet endroit, ce qui fait que le solide ne peut plus rester dissous. Des cristaux de sucre se forment et se développent à mesure que la laine absorbe la solution contenue dans les bocaux.

Matériel:

- Un bout de laine
- Deux trombones
- De l'eau tiède
- Un plat
- Une cuillère
- Deux bocaux
- Du sucre

Remplis chaque bocal aux trois quarts d'eau chaude, puis incorpore du sucre jusqu'à ce qu'il ne se dissolve plus. Fixe un trombone à chaque extrémité du bout de laine. Dépose chaque extrémité dans un bocal pour que la laine pende entre les bocaux. Place une soucoupe entre les bocaux et laisse le tout dans un endroit chaud. Inspecte la laine tous les jours pendant environ une semaine.

Que se passe-t-il?

La chaleur provoque l'évaporation de l'eau – l'eau se transforme en un gaz invisible, appelé vapeur d'eau, qui s'échappe dans l'air. Quand le liquide s'évapore lentement de la solution, le sel dissous subsiste. Tu verras une couche croûtée de sel solide au fond de la soucoupe une fois que toute l'eau se sera évaporée.

Les solutions saturées

Quelle quantité de sucre peux-tu dissoudre dans une tasse de café ? La réponse est environ 20 cuillerées. Si tu en ajoutes plus, le sucre solide non dissous reste au fond de la tasse. Quand une solution ne peut plus dissoudre de solide, on dit qu'elle est saturée. La quantité de solide nécessaire pour obtenir une solution saturée varie d'une substance à une autre.

Que se passe-t-il ?

Les gobelets contiennent ch
cun la même quantité d'eau p
que le test soit équitable. Plus
sucre que de sel se dissout. Alors
peux dire que le sucre est plus solu
que le sel. Moins de bicarbonate d
soude que de sucre ou de sel se
dissout. Alors le bicarbonate de
soude est la moins soluble
des trois substances.

Quelle quantité de solide ?

La solubilité d'une substance est la quantité nécessaire pour obtenir une solution saturée. Des substances différentes ont des solubilités différentes.

Matériel :

- Bicarbonate de soude
- Du sel
- Du sucre
- Six cuillères à thé
- Trois gobelets en plastique transparent
- De l'eau
- Étiquettes adhésives et stylo

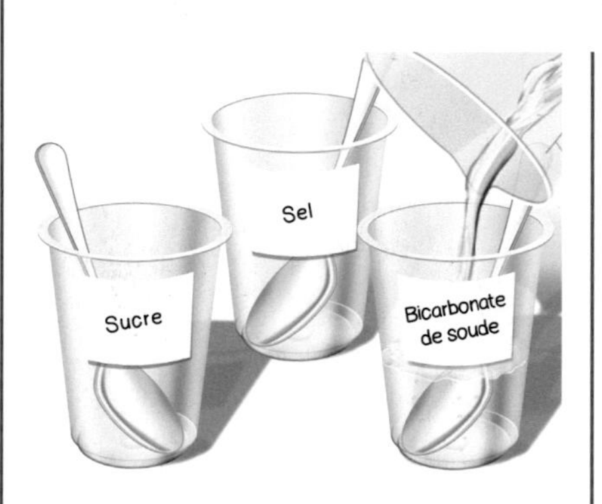

1 Étiquette les gobelets « sucre », « sel » et « bicarbonate de soude ». Remplis-les à moitié d'eau et place une cuillère dans chaque verre.

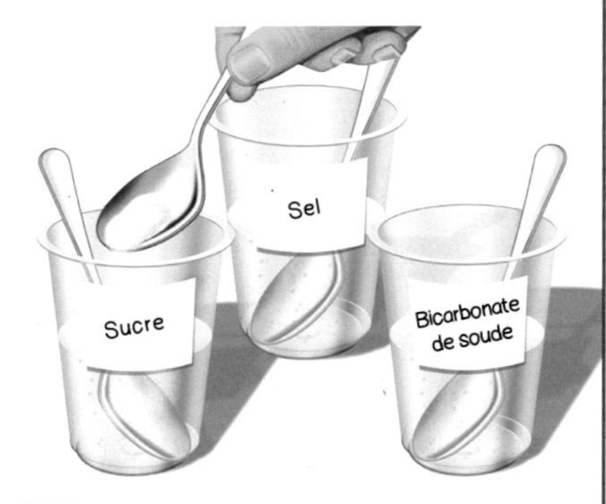

2 Ajoute une cuillère à thé de sucre dans le gobelet étiqueté « sucre ». Remue jusqu'à ce qu'il soit dissous. Répète cette étape pour les autres gobelets en utilisant du bicarbonate de soude et du sel.

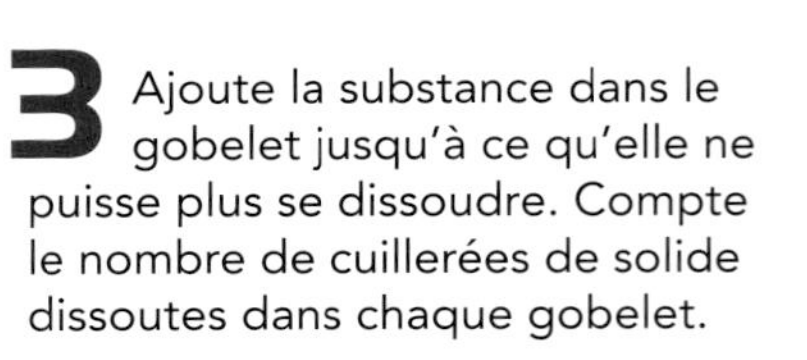

3 Ajoute la substance dans le gobelet jusqu'à ce qu'elle ne puisse plus se dissoudre. Compte le nombre de cuillerées de solide dissoutes dans chaque gobelet.

Sel

Sucre

Faire croître des cristaux

Remplis un gobelet à moitié d'eau tiède. Incorpore du sucre jusqu'à ce qu'il ne se dissolve plus, puis verse la solution claire dans l'autre gobelet, sans verser le sucre non dissous. Utilise le crayon et la ficelle de coton pour suspendre le trombone dans la solution. Observe le gobelet tous les jours pendant environ une semaine. Qu'est-ce qui se passe ?

Matériel :

- Sucre (ou carbonate de sodium)
- Deux gobelets en plastique transparent
- Un trombone
- Un crayon
- Une ficelle de coton

Que se passe-t-il ?

L'eau s'évapore lentement et les cristaux apparaissent quand il n'y a plus assez d'eau pour dissoudre tout le sucre solide. Des cristaux se développent sur des endroits qui ne sont pas lisses. Alors tu les verras probablement apparaître d'abord sur les bords du trombone plutôt que sur la ficelle de coton lisse. L'eau dans le gobelet disparaît lentement, surtout si le gobelet n'est pas dans un endroit chaud, parce que la surface d'évaporation est petite.

Glossaire

BOUILLIR Quand un liquide est chauffé et atteint le point d'ébullition, des bulles se forment, remontent à la surface et éclatent, libérant la vapeur. L'ébullition est la forme la plus rapide d'évaporation.

CHALEUR Une forme d'énergie. Quand la chaleur se répand dans un objet, la température de l'objet monte. La température de l'objet baisse quand la chaleur s'en échappe.

CHIMISTE Un scientifique qui étudie la manière dont des modifications permanentes peuvent produire des substances nouvelles.

COMPRESSER Serrer une chose pour que son volume diminue et occupe moins d'espace qu'avant. Il est assez facile de compresser des gaz. Il est presque impossible de compresser des liquides ou des solides.

CONDENSER Changer un gaz en liquide, généralement en le refroidissant.

CONDUCTEUR Un solide à travers lequel la chaleur (et l'électricité) passe facilement. Les métaux tels que le cuivre et l'aluminium sont de bons conducteurs.

CONTRACTER (SE) Quand un objet devient plus petit. La plupart des solides, et tous les liquides et les gaz, se contractent quand ils sont refroidis et que leur température baisse.

DILATER (SE) Quand un objet devient plus grand. Les solides, les liquides et les gaz se dilatent quand ils sont chauffés et que leurs températures augmentent.

DISSOUDRE (SE) Quand une substance disparaît après avoir été mélangée à un liquide. Le sel se dissout dans l'eau pour produire une solution saline.

ÉLASTIQUE Un solide qui change de forme quand il est compressé ou étiré, et qui reprend sa forme initiale quand on cesse de le compresser ou de l'étirer.

ÉNERGIE L'énergie est nécessaire pour faire bouger les choses. Il s'agit de la capacité de faire un travail. La chaleur et l'électricité sont deux types d'énergie. Les carburants contiennent de l'énergie qui est libérée sous forme de chaleur lors de leur combustion.

ÉVAPORER Transformer un liquide en vapeur (gaz), généralement en le chauffant.

FILTRAT La partie liquide d'une suspension qui passe à travers un filtre.

FONDRE Quand un solide se transforme en liquide, habituellement par chauffage.

FORCE Une poussée ou une traction. La force peut faire des actions telles que modifier la forme des choses, accélérer ou ralentir le mouvement des choses. Deux forces peuvent également s'annuler lorsqu'elles s'exercent l'une contre l'autre.

GELER Quand un liquide se transforme en solide, généralement par refroidissement.

INSOLUBLE Qualifie une substance qui ne se dissout pas dans un liquide.

ISOLANT Une substance qui ne laisse pas passer facilement la chaleur – ou l'électricité.

LONGUEUR Une mesure de la distance entre deux points. Le mètre (m) est une unité de longueur. Un mètre est égal à 100 centimètres (cm) ou à 1000 millimètres (mm). Un kilomètre (km) est égal à 1000 mètres.

MASSE La quantité de matière dans un objet. L'unité de base est le kilogramme (kg).

MATÉRIAUX Différents types de solides. L'acier, le papier, le cuir, la pierre et le plastique sont tous des matériaux.

MATIÈRE Tout ce qui a une masse et occupe de l'espace.

MATIÈRES PREMIÈRES Substances naturelles qui sont utilisées pour la fabrication de produits utiles. Les matières premières sont extraites du sol (p. ex. le minerai de fer, le pétrole brut), de l'eau de mer (p. ex. le brome et l'iode pour une utilisation dans des médicaments) et de l'air (p. ex. l'oxygène et l'azote).

PERMANENT Qualifie un changement qui ne peut pas être inversé facilement.

POIDS La force sur un objet qui résulte de l'attraction de la gravité sur sa masse. La gravité sur la terre est six fois plus forte que sur la lune, alors les objets sont plus lourds sur la terre que sur la lune.

PRESSION Une mesure de la quantité de force appliquée sur la surface d'un objet. Tes pieds exercent une

pression sur le sol. La pression de l'air à l'intérieur d'un ballon maintient la peau du ballon tendue.

PRODUIT CHIMIQUE Une substance pure simple. Le sel est un produit chimique que les chimistes appellent chlorure de sodium.

SOLIDIFIER (SE) Quand un liquide se transforme en solide, généralement par refroidissement.

SOLUBILITÉ Une mesure de la quantité de solides ou de gaz qui se dissout dans une quantité donnée de liquide.

SOLUBLE Qualifie une substance qui se dissout dans un liquide.

SOLUTION Le mélange que produit une substance dissoute dans un liquide.

SOLUTION SATURÉE Une solution dans laquelle un solide ne peut plus se dissoudre.

SUBSTANCE Tout type de matière. Une substance peut être un solide, un liquide ou un gaz.

SUSPENSION Le mélange obtenu quand on agite un liquide contenant des particules insolubles.

TEMPÉRATURE Décrit le degré de chaleur ou de froideur d'une chose. Sur l'échelle Celsius, l'eau gèle à 0 °C et bout à 100 °C.

TEMPORAIRE Qualifie un changement qui peut être inversé facilement.

VAPEUR Un autre mot pour gaz.

VOLUME L'espace occupé par un objet. Une unité de volume est le litre (l).

Sites Web

Si tu as apprécié ce livre, les sites énumérés ci-dessous te fourniront de plus amples renseignements sur la matière et les matériaux. Beaucoup contiennent des jeux amusants qui vont t'aider à comprendre les notions difficiles.

- www.lesdebrouillards.qc.ca
- www.brainpop.fr
- www.centredessciencesdemontreal.com/jeunes.html
- www.educatout.com/activites/sciences/index.html
- sciencejunior.fr

Index